Olivier Tallec

C'EST MON ARBRE

Pastel
l'école des loisirs

J'adore les arbres.
J'adore cet arbre, c'est MON arbre.

J'adore manger MES pommes de pin
à l'ombre de MON arbre.

C'est MON arbre
et ce sont MES pommes de pin.

Et si un jour quelqu'un décidait que MON arbre
n'est pas MON arbre mais SON arbre ?

Et si ce quelqu'un avait envie
de manger MES pommes de pin
à l'ombre de SON arbre,
ou SES pommes de pin
à l'ombre de MON arbre ?

Alors bien sûr, on peut toujours dire qu'il y a des pommes de pin pour tout le monde et même de l'ombre pour deux.

Mais on sait comment ça se termine : ça devient l'arbre de tout le monde,
les pommes de pin de tout le monde et l'ombre de tout le monde.

Tout le monde doit savoir
que ce sont MES pommes de pin
et que c'est MON arbre.

Je devrais peut-être installer un portail.
C'est bien un portail. Ça montre qu'on est chez soi.

Ou une palissade
pour être tranquille.

Ou même un mur.

Il faudrait un mur suffisamment solide pour qu'on ne le fasse pas tomber.
Et suffisamment haut pour qu'on ne puisse pas l'escalader.

Il faudrait qu'il soit assez long
pour qu'on ne puisse pas en faire le tour.

Il faudrait un mur très long pour protéger MON arbre
et MES pommes de pin.

Un mur qui ne s'arrêterait que lorsqu'il rencontrerait un autre mur…

Je me demande quand même ce qu'il peut y avoir
derrière un si grand mur.

Peut-être rien.

Peut-être que derrière cet autre mur il y a une pomme de pin ?

Une pomme de pin
plus grosse que MES pommes de pin?

Peut-être que derrière ce mur il y a un autre arbre ?
Un arbre plus beau et plus haut que MON arbre.

Un arbre magnifique couvert de pommes de pin !

Peut-être que derrière ce mur
il y a une forêt d'arbres,
couverts de pommes de pin.

Une forêt qui pourrait être MA forêt,
et des pommes de pin qui pourraient être
MES pommes de pin.